Je veux aller
à la fête !

Traduit de l'anglais par Anne Krief

ISBN : 978-2-07-062470-6
Titre original : *I Want to Go to the Fair!*
Une licence The Illuminated Film Company
D'après la série animée PETITE PRINCESSE
© The Illuminated Film Company 2008
Publié sous licence par Andersen Press Ltd., Londres
L'épisode « I Want to Go to the Fair ! » a été écrit par Kelly Marshall
© The Illuminated Film Company/Tony Ross 2008
Graphisme et maquette : © Andersen Press Ltd., 2008
© Gallimard Jeunesse 2009, pour l'édition française
Numéro d'édition : 165898
Loi n° 49-956 du 16 juillet 1949 sur les publications destinées à la jeunesse
Dépôt légal : août 2009
Imprimé en Italie

Je veux aller
à la fête !

Tony Ross

GALLIMARD JEUNESSE

La petite princesse choisit une de ses balles et visa les jouets posés sur l'appui de la fenêtre.
– Je m'entraîne pour la fête foraine ! C'est presque l'heure d'y aller.

Boinnng!!! Humpty Dumpty tomba de son perchoir.

– Je vais aller dans le château gonflable et faire aussi des autos
tamponneuses, se régala d'avance la petite princesse.

Et je vais gagner un gros poisson rouge orange !

Tout cela était très excitant.

– Est-ce que tout le monde est là ? demanda le roi.
Dans le hall du château, tous attendaient impatiemment
de partir à la fête foraine.
– Me voilà ! répondit la petite princesse d'une voix chantante.

Elle ne put s'empêcher de descendre l'escalier quatre à quatre
et de faire une petite pirouette à l'arrivée.
– Eh bien, en avant pour la fête foraine ! s'exclama la reine.

La petite princesse courut vers la porte.

– Je suis une auto tamponneuse. Pouët, pouët !

– Prends garde à ne pas tomber, princesse,
intervint le Premier ministre.

Mais c'était trop tard.

Bing ! La petite princesse se prit les pieds dans le cheval de bois du général. Le roi et la reine accoururent.

– Tu n'as rien, ma chérie ?

– J'ai mal au pied ! pleurnicha la petite princesse.

– Je suis désolée, princesse, mais il n'y aura pas de fête foraine pour toi, décréta le docteur en lui bandant la cheville.

– Oh, non ! s'écria la petite princesse en essayant de se lever. Regardez, je peux… ouille !

– Fais doucement, ma poupette, intervint le roi.

– Tu as entendu ce qu'a dit le docteur, soupira la reine.

Tu dois rester à la maison aujourd'hui.

– Mais je veux aller à la fête foraine ! hurla la petite princesse.

La petite princesse regarda tristement
les autres se préparer à partir.

– Nous n'avons rien oublié ? demanda la gouvernante.

– Nous pourrions peut-être rester tous à la maison ? murmura le roi à l'oreille de la reine, assez fort pour être entendu.

Tout le monde sursauta, médusé, et se tourna vers la reine.

– Ne dis pas de bêtises, répliqua la reine. Nous aussi, nous allons passer une bonne journée, n'est-ce pas, princesse ?

– Non, répondit la petite princesse d'un air grognon.

– Voilà, voilà !

dit le cuisinier, surgissant avec un sac
rempli de délicieuses pâtisseries.
Quelques douceurs pour la journée.
La petite princesse eut l'air encore
plus grognon.

– Allez, allez, partez vite, dit la reine. Amusez-vous bien !

– Courage, moussaillon ! s'exclama l'amiral en suivant les autres, tous à la queue leu leu.

– Bon, nous allons bien nous amuser toutes les deux, déclara la reine en mettant les poings sur ses hanches.

– Moins qu'à la fête foraine, gémit la petite princesse.

La reine installa la petite princesse dans un chariot rempli
de toutes sortes d'objets.

– Nous allons nous organiser une petite fête foraine
rien que pour nous, expliqua-t-elle. Qu'en penses-tu ?

– Rien de bon, soupira la petite princesse.

Mais la reine n'était pas du genre à se laisser abattre.

De l'autre côté du royaume, les habitants
du château arrivaient à la fête foraine.
– Suivez-moi tous ! ordonna le roi.
Et restons groupés !

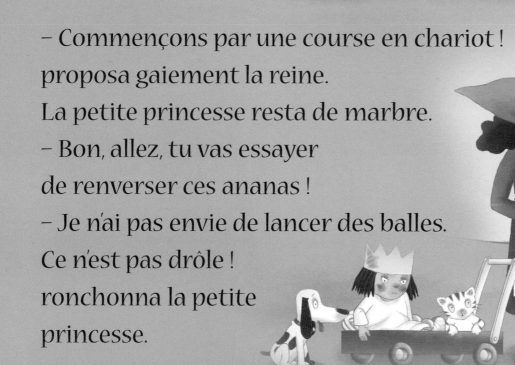

– Commençons par une course en chariot !
proposa gaiement la reine.
La petite princesse resta de marbre.
– Bon, allez, tu vas essayer
de renverser ces ananas !
– Je n'ai pas envie de lancer des balles.
Ce n'est pas drôle !
ronchonna la petite
princesse.

La reine s'arrêta net.

– Donc tu ne veux jouer à aucun de mes jeux ?

– N-O-N.

– Très bien. Alors il ne te reste plus qu'à aller au lit…

La petite princesse croisa les bras et bouda.

Elle n'était même pas fatiguée.

– Allez, au lit ! dit la reine.

La petite princesse la regarda avec des yeux ronds.

– Mais, ce n'est pas mon lit.

– En effet, c'est le mien, acquiesça sa maman. Il rebondit beaucoup
mieux !

La reine tapota le matelas en souriant, tandis que la petite princesse
détournait la tête.

– Puisque c'est ainsi, je vais être obligée de te donner l'exemple,
soupira la reine.

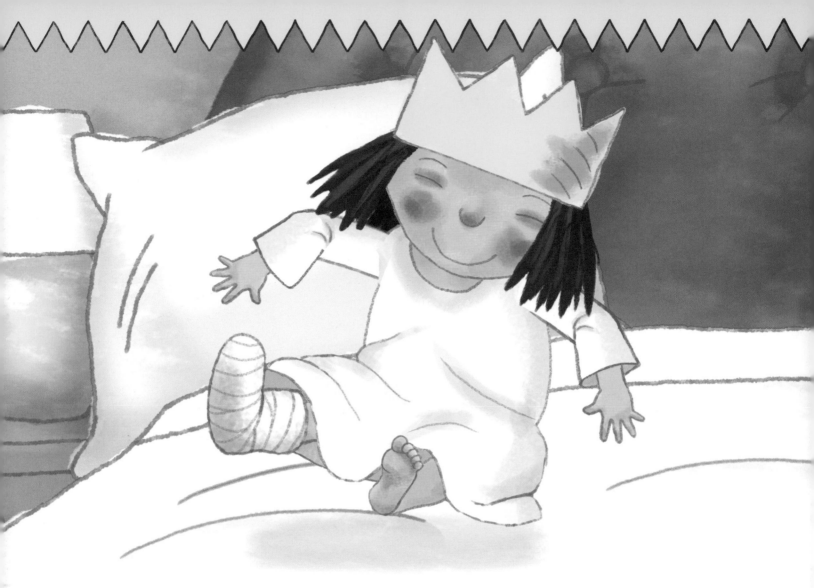

– **Arrête !** cria la petite princesse.

Je n'ai pas envie de… **oooh !**

Le matelas rebondissait de plus en plus…

– Tu veux aller plus haut ? proposa la reine.

La petite princesse ne put résister
plus longtemps.

– Oui ! Plus haut, plus haut !

La reine sauta jusqu'au plafond
et retomba avec fracas sur le tapis.

BOUM !

La petite princesse retint son souffle,
jusqu'au moment où la reine éclata de rire.

Tandis que les autres habitants du château faisaient un tour d'autos tamponneuses, la petite princesse s'amusait à sa manière.

– Pousse-toi, le chat !

cria la petite princesse. Je suis une auto tamponneuse.

La reine était de plus en plus rouge, mais son plan fonctionnait :

la petite princesse commençait vraiment à s'amuser.

À la fête foraine, le roi réussit à gagner un poisson
en lançant un anneau.
Au château, l'anneau de la petite princesse atterrit
sur le nez de la reine !
– B… bien joué, ma chérie, bredouilla la reine.

Pendant que l'amiral tentait
de crocheter un petit canard,
la petite princesse faisait
une prise intéressante.

– Ooh ! Un poisson rouge !
s'écria-t-elle, toute contente.
La reine lui nettoya sa robe
souriant d'un air las.

Cette belle journée touchait à sa fin.

– Dommage que la petite princesse n'ait pas été là, regretta le cuisinier.

– Ça lui aurait vraiment plu, continua le jardinier.

– Pauvre princesse, approuva le roi.
Elle a tout raté. J'espère que
ce poisson rouge la consolera.
– Château à tribord ! annonça
l'amiral en montrant la maison.

– Nous sommes là, ma poupette ! rugit le roi.
Et regarde ce que nous t'avons rapporté…
– Chut ! fit la petite princesse. Tu vas réveiller Maman.

La reine dormait à poings
fermés sur sa chaise.
– Je l'ai gagné à ma fête,
dit la petite princesse
en indiquant le bocal
près de son lit.
– Mais alors qu'allons-nous
faire de ce poisson rouge-là ?
demanda le roi.

La petite princesse
réfléchit un instant,
puis répondit en riant :

– Offrons-le à Maman !